D0333108

LA VIE EN ROSE
AVEC NOS ENFANTS

www.albin-michel.fr

Dépôt légal : premier semestre 2001

N° d'édition : 12186 - ISBN : 2 226 11871 3

DOMINIQUE GLOCHEUX

LA VIE EN ROSE
AVEC NOS ENFANTS

ALBIN MICHEL

DU MÊME AUTEUR

aux éditions Albin Michel
"La Vie en Rose, Mode d'Emploi"

aux éditions Flammarion
"Petites Victoires, Grands Bonheurs"
"Petites Victoires Tous Ensemble"
"Petites Victoires, Grand Amour"
"Victoires Sur Toute La Ligne"
"Le Bonheur, un jeu d'Enfant"
"Le Bonheur, c'est les Autres"
"Petits Chemins du Bonheur"
"Petits Bonheurs Amoureux"
"C'est Tendre La Vie"
"C'est Simple La Vie"
"C'est Doux La Vie"
"C'est Beau La Vie"

A Victoire,

Merci à ses petits amis : Eulalie, Esteban, Grégoire, Guillaume, Marie, Marion, Nicolas, Paul, Pierre, Pierre-Louis, Tristan & Virgile, et à ses anges gardiens : Anne-Sophie, Blandine, Céline, Corinne, Dominique & Josiane.

Merci à Muriel & Alain Bosetti, à Frédérique & Nicolas Bastien, à Lucette Savier, à Laurence, Laurent, Fanny & Zac Taieb, et à Françoise & Alexandra, pour l'amitié sans défaut.

Thanks to Fionna, Island, Jennifer, Laura, Liam, Lily Rose, Margaux, Nikita, Shauna & Tïuraï, for all the love and care you give me.

"Tout ce qui n'est pas donné est perdu" proverbe indien
"Le bonheur va vers ceux qui savent rire" proverbe japonais
"Je me contenterai du meilleur" Oscar Wilde
"Je me contenterai du bonheur"
"Je vous aime..."

1✓Tenez toujours vos promesses.

2✓Affichez ses meilleurs dessins sur votre réfrigérateur.

3✓Soyez un modèle, pas un moule.

4✓Efforcez-vous 24 heures de ne critiquer rien ni personne.

5✓Visitez ensemble une petite île.

6✓ Racontez-lui 3 anecdotes à propos de ses ancêtres.

7✓ Donnez l'exemple : aimez-vous vous-même.

8✓ Préparez-lui 2 desserts vraiment "maison".

9✓ Apprenez-lui à prêter et incitez-le à partager.

10✓ Par-ci, par-là, dormez ensemble à la belle étoile.

11. Inventez une berceuse rien que pour lui.

12. Trouvez 3 idées pour passer plus de temps ensemble.

13. Ne faites pas de leçon ni de sermon. Expliquez. Pratiquez.

14. Si vous voulez qu'il vous parle, écoutez-le.

15. Laissez ses grands-parents le gâter. C'est trop bon.

16✓ Racontez-lui une histoire dont il est le héros.

17✓ Faites aux autres ce que vous aimeriez qu'il fasse aux autres.

18✓ Ne finissez pas ses phrases.

19✓ Aidez-le à devenir expert dans un domaine. Synthé, pokemon ou karaté.

20✓ Dites-lui plus souvent “je t’aime”. Pas seulement quand il part à l’école.

21. Préparez une bonne réponse à "comment fait-on les bébés ?"

22. Chez les enfants, les bleus à l'âme guérissent moins vite que les autres. Pansez vite.

23. Bénissez chaque instant où il partage avec vous une de ses visions de la vie.

24. Ne dites pas qu'il est timide. Expliquez qu'il ne veut pas parler à ce moment précis.

25. Il fera comme vous faites, pas comme vous dites. Donnez l'exemple.

26. Hissez-vous à hauteur de ses espérances.

27. Habituez-le à terminer ce qu'il a commencé.

28. Ne lui mentez pas.
Surtout pour des broutilles.

29. Entraînez-vous à jouer au yo-yo.

30. Cachez un petit cadeau inattendu dans ses vêtements.
Vous trouverez une raison plus tard.

31. Apprenez-lui à être ponctuel.

32. Donnez-lui l'amour de la lecture, des librairies et des bons livres.

33. Ne dites pas "parce que je l'ai dit" ou "parce que c'est comme cela". C'est toujours inutile.

34. Si vous lui posez une question, attendez la réponse.

35. Soyez un adulte heureux. C'est le meilleur moyen pour faire des enfants heureux.

36. Soyez comme l'étincelle
qui allume son soleil,
la goutte de rosée qui
fait germer ses projets.
Discret mais essentiel.

37✓ Frappez à sa porte avant d'entrer.

38✓ Écoutez ensemble des cassettes de livres lus par des acteurs. En plus du plaisir, une belle leçon d'élocution.

39✓ Préférez renseigner plutôt qu'enseigner.

40✓ Respectez ses rêves.

41✓ Laissez-le entendre quand vous dites aux autres tout le bien que vous pensez de lui.

42. Dites-lui plus souvent "OUI".

43. Lisez ensemble une carte routière.

44. Donnez-lui chaque jour au moins 10 minutes d'attention exclusive, en un seul bloc.

45. Avant de livrer votre opinion, demandez-lui ce qu'il en pense.

46. Prenez la bonne habitude de sortir en famille une fois par mois.

47. Trouvez 3 idées pour que votre maison soit encore plus l'endroit où chacun aime se retrouver.

48. Ne forcez pas le trait : à trop souligner points forts ou points faibles, on finit par les effacer.

49. S'il veut rejoindre une équipe, une troupe ou une chorale, rendez-lui la vie facile.

50. Apprenez-lui à économiser les énergies non renouvelables.

51. Quand vous cherchez à savoir où il va, montrez-lui que vous êtes guidé par l'amour. Pas par la méfiance.

52✓ Méditez : "Je n'ai que 3 choses à vous enseigner :
la simplicité, la patience et la compassion." (Lao Tseu)

53✓ Dites-lui pourquoi vous l'aimez.
Donnez-lui 10 bonnes raisons, pour commencer.

54✓ Convenez ensemble que s'il se perd un jour, vous vous donnez automatiquement rendez-vous à l'endroit exact où vous vous êtes vus ensemble pour la dernière fois. Rien de tel pour se retrouver rapidement.

55✓ Apprenez-lui à ne pas répondre trop vite.

56✓ Reconnaissez vos torts. Vite. L'un et l'autre vivrez mieux.

57✓ À ses yeux, votre temps est plus précieux que votre argent.
Soyez généreux.

58✓ Éloignez-le de la violence.
Surtout celle des jeux vidéo, cinéma, télévision et Internet.

59✓ Aidez-le à trouver la définition d'un mot dans le dictionnaire.
Faites-en un jeu entre vous deux.

60✓ Préservez vos valeurs et principes personnels.
Ces repères sont pour lui de précieux alliés de stabilité
et de réconfort.

61✓ Regardez-le dormir. Contemplez. Profitez.

62✓ Par-ci, par-là, laissez-le préparer sa "tambouille". Même si le mélange est surprenant et si vous doutez du résultat.

63✓ Protégez vos espaces d'intimité. Les vôtres comme les siens.

64✓ Laissez-le affronter les conséquences de ses actes. Résistez à la tentation de tout assumer pour lui.

65✓ Apprenez ensemble une poésie de l'école.

66. À moins d'avoir la preuve du contraire, présumez-le innocent.

67. Expliquez-lui pourquoi il doit être spécialement attentionné avec les petits, les nouveaux et les faibles.

68. Ne l'embrassez pas devant l'école.

69. Montrez-lui comme c'est difficile de perdre de mauvaises habitudes : autant prendre les bonnes dès le départ.

70. Offrez-lui une cape de magicien ou le hennin étoilé d'une fée.

71✓ Soyez le premier à lui apprendre à lire l'heure.
Ne ratez pas cette chance.

72✓ Installez un grand miroir de pied dans sa chambre.

73✓ Ne cherchez pas à retrouver chez lui,
ce que vous avez perdu ailleurs autrefois.

74✓ Avant de punir, assurez-vous qu'il a compris les "3 pourquoi" :
pourquoi c'était interdit, pourquoi il doit réparer et
pourquoi il ne recommencera pas.

75✓ Faites-lui redécouvrir ciel, lune et étoiles, à travers
une lunette d'astronomie. Puis visitez un planétarium.

76. Assurez-le que vous êtes là.

Pour lui.

Pour l'aider et le secourir

quand il a besoin de vous.

Au jour le jour.

77. Trouvez 3 idées pour échanger plus souvent des clins d'œil complices.

78. Montrez-lui comment interrompre les adultes avec un simple "excusez-moi".

79. Préparez-lui un départ en excursion, une partie de cartes ou une bataille de polochons.

80. Conservez précieusement son premier dessin.

81. Profitez à fond de chaque moment partagé ensemble. L'activité la plus anodine peut devenir une source riche en bonheur.

82. Apprenez-lui à reconnaître ses erreurs. Et à bien tolérer ses échecs.

83. Faites-lui découvrir des rites, coutumes et croyances d'autres cultures.

84. Ne manquez pas le traditionnel "bisou au lit". Même s'il dort déjà.

85. Montrez-lui que votre amour et votre estime pour lui sont inconditionnels. Quelles que soient les circonstances. Sans exception.

86✓ Chaque année, trouvez ensemble un souvenir insolite de sa rentrée des classes. Démarrez une collection.

87✓ Laissez-lui la possibilité de fermer sa porte.

88✓ Racontez-lui comment des mots cruels peuvent parfois blesser longtemps et profondément.

89✓ Évitez les conflits où le but est de montrer que vous avez raison. Choisissez d'être heureux plutôt que d'avoir raison.

90✓ Jouez tous les deux à essayer de dessiner avec un crayon coincé entre vos orteils.

91. Prenez des cours de secourisme et ayez un nécessaire de premiers secours.

92. Soyez assez fort pour lui montrer vos faiblesses.

93. Ne mentez pas. Même pour lui.

94. Décompressez. La qualité du temps que vous lui consacrez, importe bien plus que sa quantité.

95. Dites-lui souvent que vous avez entièrement confiance en lui.

96✓ Félicitez-vous quand il est têtu. Voyez-y la force de ses principes, valeurs et convictions.

97✓ Respectez les 7 “M” :
jamais de menace, méchanceté, malveillance, mauvais mot, mépris, mensonge et manipulation.

98✓ Emmenez-le dans une ferme. Faites-lui toucher un veau, un caneton, un poussin.

99✓ Intéressez-vous à ses jeux, monologues et rêveries :
vous sentirez comment il se voit et perçoit ce qui l’entoure.

100. Achetez-lui un globe terrestre et un grand atlas à jour.

101. Rangez ses souvenirs essentiels dans une grande boîte avec sa photo collée dessus.

102. Ne reportez pas à demain ce que vous aimeriez faire aujourd'hui avec lui : demain n'arrive jamais.

103. Regardez-le toujours comme un enfant : oubliez l'élève.

104. Dorlotez-le, cajolez-le. Vous trouverez une raison plus tard.

105✓Aidez-le à ouvrir son propre chemin quand, décidément, il ne trouve pas le bon.

106✓Ne gaspillez pas votre crédibilité : elle est soit intacte, soit gravement endommagée. Légèrement écornée, jamais.

107✓Exploitez avec lui les richesses d'Internet.

108✓Incitez-le à résoudre des problèmes et trouver par lui-même des solutions.
Par déduction, analogie ou réflexion.

109✓Dites-lui que vous l'aimerez toujours. Redites-lui. Encore.

110. Commencez plus de phrases par “voudrais-tu”. Vous donnerez moins d’ordres inutiles et il coopérera plus souvent.

111. Encouragez-le à participer à des concours et compétitions, sportifs ou artistiques.

112. Interdisez les “gros mots” en votre présence.

113. Répondez à ses questions. Sinon, un jour il cessera de vous en poser.

114. Par-ci, par-là, consacrez-lui une journée toute entière.

115✓ Attribuez-lui de grandes qualités humaines et un sens profond de la justice. Un jour, il les fera siens.

116. Musardez ensemble dans un jardin botanique.

117. Encouragez-le à mémoriser chansons, répliques de films et citations.

118. Ne partez pas au lit en laissant un conflit ouvert.

119. Quand vous avez fini de répondre à la question, taisez-vous. Laissez infuser.

120. Aidez-le à en savoir plus sur son animal favori.

121✓ Incitez-le à faire des choix personnels, les protéger et en être fier.

122✓ Promettez-vous de rester calme et patient pendant qu'il fait ses devoirs.

123✓ Ne dites jamais "tu es trop petit pour comprendre" ni "tu sauras quand tu seras grand".

124✓ Dans le doute, fichez-lui la paix.

125✓ Fabriquez ensemble un mobile musical pour sa chambre.

126✓ Persévérez à lui faire dire souvent “merci”.

127✓ Montrez-lui comment se lever tôt permet d’avoir plus de temps pour profiter de la vie.

128✓ Photographiez-le à chacun de ses anniversaires. Et classez dans un album spécial.

129✓ S’il rejette votre aide, réjouissez-vous qu’il se sente assez fort pour essayer de s’en sortir tout seul.

130✓ Allongés dans un pré au soleil d’été, attendez avec lui que papillons et autres insectes oublient votre présence.

131. Ayez à portée de main une boîte toujours prête pour lui avec : crayons, gomme, peinture et pinceaux, colle et ciseaux.

132. Ne ratez pas qui il est aujourd'hui, en pensant trop à qui il pourrait être demain.

133. Laissez-le ranger ses affaires.
Il finira par toutes les retrouver.

134. Prenez soin de vous. La santé n'est jamais acquise et votre famille compte sur vous.

135. Accueillez avec une extrême bienveillance
ses tâtonnements, contradictions, maladresses et errances.

136. Ne dites pas “tu vois que j’avais raison”. Il le sait déjà.

137. Expliquez-lui les dangers qu’il prendrait à suivre
une personne qu’il ne connaît pas.
Même si elle lui inspire totalement confiance.

138. Acceptez d’assumer vos refus.

139. Construisez ensemble un patchwork, une maquette ou
un puzzle géants.

140✓ Racontez-lui une histoire de fantômes
à la lueur d'une torche.

141✓ Ne soyez pas trop exigeant : demandez-lui de faire
de son mieux la prochaine fois.

142✓ Dites-lui au revoir à chaque fois que vous partez.

143✓ Achetez-lui une excellente encyclopédie.
Avec plein de photos en couleurs.

144✓ Faites un concours de singeries avec lui.

145✓ Stimulez chaque jour son enthousiasme
et sa joie de vivre.

146✓ Oubliez les “si seulement...” et les “et si...”.
Le passé est passé : vivez l’instant présent.

147✓ Quand il s’agit de lui, mettez systématiquement
toute rancune ou rancœur au rancart. Vite.

148✓ Dites plus souvent la phrase magique :
“il me donne entière satisfaction”.
Elle restera gravée dans sa mémoire.

149✓ Apprenez-lui à nager dès que possible.

150✓ Inventez des coutumes, des rituels de famille.
Par exemple, réservez-lui une place attitrée
à la table familiale. “SA” place.

151✓ Ne ratez pas une occasion de distinguer
ce qui est bien de ce qui est mal.
Mieux : apprenez-lui à faire lui-même la part des choses.

152✓ Prenez chacun du papier et des couleurs,
et l’un à côté de l’autre, dessinez, peignez.
Pour quelques minutes ou la journée.
Laissez-vous aller. Sans compter.

153✓ Comprenez-le. Et même si vous ne le comprenez pas, comprenez-le.

154✓ Ne sous-estimez pas ses angoisses, doutes et soucis.

155✓ Prenez sur le vif ses progrès et bonnes actions, et félicitez-le, sur-le-champ.

156✓ Donnez-lui des exemples vécus. Répandez-vous en anecdotes et détails piquants : ils imprimeront sa mémoire plus sûrement que les plus sages explications.

157✓ Dévoilez-lui le secret pour trouver l'étoile Polaire.

158. Abonnez-le à son magazine préféré.

159. Si vous ne savez pas comment lui dire, serrez-le fort contre vous. Dans ces cas-là, un bisou dit tout.

160. Ne critiquez pas ses amis. Critiquez, au besoin, leurs actions.

161. Par-ci, par-là, demandez-lui ce qu'il attend de vous. Notez précieusement.

162. Observez ensemble la progression d'un chantier de construction.

163✓ Faites-lui un festival de voix bizarres, imitations insolites et autres drôles de bruits.

164✓ Passez l'éponge sur ses erreurs et ses écarts.
Les évoquer sans cesse l'inciterait à les reproduire sans cesse.

165✓ Donnez-lui l'habitude de remettre les choses
là où il les a prises.
Et de rendre tout ce qu'il a emprunté.

166✓ Laissez-le plus souvent choisir ce qu'il veut manger.
Mais profitez-en pour bâtir avec lui un menu équilibré.

167✓ Aimez-le tel qu'il est. Vous ne pourrez jamais lui faire de plus beau cadeau.

168✓ Trouvez le moyen de le faire monter dans la cabine d'un conducteur de train ou dans une voiture de police.

169✓ Apprenez-lui à ne pas comparer ses valeurs profondes avec celles affichées en surface par les autres. Ce ne sont souvent que des apparences.

170✓ Ne cherchez pas à lui donner le meilleur en tout. Donnez-lui surtout le meilleur de vous-même.

171✓ Parlez-lui des étoiles, du cosmos, et des premiers pas de l'homme sur la lune.

172. Aidez-le à contrôler ses actes et
exprimer ses sentiments. Pas l'inverse.

173. S'il ne se sent pas encore prêt, ne forcez pas.

174. Dites plus souvent "parce que je suis ta mère/ton père,
et responsable de toi. Point final."
C'est toujours une excellente raison.
Et souvent la meilleure réponse.

175. Achetez 4 "peintures au doigt" très colorées,
et prenez l'empreinte, côte à côte, de vos 4 pieds.

176. Incitez-le à forcer le destin et tenter sa chance.
À se porter volontaire, lever la main, prendre la parole ou l'initiative. Plus souvent.

177. Enregistrez ses émissions préférées au magnétoscope.

178. Ne dites pas "tu le fais mal". Montrez-lui, donnez le plus d'explications possible et dites plutôt "ce serait mieux si tu faisais ainsi".

179. Dégustez chaque moment où il partage avec vous ses rêves, envies ou secrets. Profitez. Profitez. Profitez.

180✓ Trouvez 3 occasions par jour de lui faire enrichir son vocabulaire.

181✓ Ne le réprimandez pas pour une faute commise par accident : demandez-lui de chercher un moyen de réparer.

182✓ Assurez-le que tout le monde peut avoir envie de pleurer. Même les plus forts, les plus grands, les plus intelligents. Y compris son héros préféré.

183✓ Indiquez-lui pourquoi il est bon de s'asseoir aux premières places.

184. Pour chaque erreur relevée, trouvez 3 idées pour le féliciter.

185. Ne dites jamais le secret du Père Noël. Laissez un autre le révéler.

186. Composez un bouquet permanent de photos familiales : ajoutez-y régulièrement une nouvelle, classez la précédente.

187. Expliquez-lui pourquoi agir est la seule et unique façon de réaliser ses désirs.

188✓ Offrez-lui un réveille-matin agréable, parfaitement fiable et facile à régler.

189✓ Attendez-vous à ce qu'il en mette partout et qu'il y ait de la casse : vous ne serez jamais surpris. Et dans l'intervalle, tellement plus serein.

190✓ Trouvez 3 idées pour transformer un week-end à la maison en une suite de jeux agréables.

191✓ Exercez-le à dire "bonjour" et "merci" dans une langue étrangère.

192. Demandez-lui de vous raconter une histoire : c'est son tour.

193. Décelez au plus tôt les signaux et messages codés que vous lui envoyez sans le vouloir. Simplifiez, simplifiez, simplifiez.

194. Discutez du proverbe "qui vole un œuf, vole un bœuf".

195. Veillez à lui faire garder en mémoire ses progrès, succès et victoires. Ils formeront les racines d'une confiance en soi solide et justifiée.

196. Lisez-lui des fables de la Fontaine. Puis demandez-lui ce qu'il faut en retenir.

197. Ne démarrez pas la voiture avant que toutes les ceintures soient bouclées.

198. Faites les courses du fond du canapé : achetez sur catalogue ou Internet ce que vous achetez souvent et pouvez stocker. Une seule chose à faire : ouvrir les sacs à la livraison.

199. Découvrez les règles de ses jeux et sports préférés, et demandez-lui de vous initier.

200. Réjouissez-vous s'il change d'envies à la vitesse de l'éclair. Voyez-y fougue, passion, énergie, enthousiasme. Qui débordent.

201. N'utilisez pas le chantage avec lui. Sinon, gare au boomerang : il fonctionnera vite au chantage lui aussi.

202. Regardez ensemble les traces que vous laissez sur le sable. Ou ailleurs. Surtout celles qui ne se voient pas.

203. Laissez-le plus souvent choisir ses vêtements et porter ses préférés.

204. Dites-lui plus souvent les 3 phrases magiques : "j'ai confiance en toi", "je suis fier de toi", "je sais que tu peux le faire".

205✓ Cherchez ensemble un trèfle à 4 feuilles.

206✓ Soyez attentif au “détail qui cloche”, signe insolite ou autre bizarrerie. Les grandes angoisses sont comme les grandes douleurs : muettes.
Et presque invisibles.

207✓ Après chaque film, concert ou spectacle, donnez-lui le temps de vous dire ce qu’il en pense.

208✓ Prenez-le longuement dans vos bras quand il est triste. Câlin. Tendresse. Seuls au monde.

209✓ Demandez-lui chaque soir comment s'est passée sa journée.

210✓ Dans le doute, n'hésitez pas à répéter : à force d'être guidé, soutenu et orienté, il finira par assimiler.

211✓ Discutez avec lui de ses rêves et de son avenir. Vous l'aiderez à les dessiner et les transformer en réalités.

212✓ Ne le laissez pas accuser les autres pour justifier son erreur. Sinon tôt ou tard, la même erreur se reproduira.

213✓ Centralisez les messages de la famille, pense-bêtes, listes de courses et rendez-vous, sur le réfrigérateur.

214✓ La prochaine fois que vous prenez l'avion, demandez à lui faire visiter la cabine de pilotage.

215✓ Évitez de dire "ou sinon...". C'est toujours inutile et maladroit.

216✓ Par-ci, par-là, laissez-le prendre des décisions qu'il trouve bonnes et qui pourraient être aussi bonnes que celles que vous prenez pour lui.

217✓ Encouragez-le à se laisser entraîner par ses élans de générosité. Et à ne jamais les regretter.

218✓ Piquez sa curiosité et incitez-le à poser des questions saugrenues : la seule idiotie est de ne pas oser les poser.

219✓ Profitez du week-end pour planifier ensemble la semaine à venir.

220✓ N'utilisez pas d'argument affectif du style "pour me faire plaisir".

221✓ Inventez 2 chansons un peu folles avec des paroles stupides et hurlez-les ensemble.

222✓ Accueillez ses amis avec le même soin que vous accueillez vos amis.

223✓ Évitez de dire qu'il ne devrait pas ressentir tel ou tel sentiment. Un sentiment n'est jamais ni bon ni mauvais.

224✓ Répondez plus souvent "nous verrons".
Mais ne tardez pas trop, ensuite, à prendre une décision

225✓ Expliquez-lui pourquoi, s'il essaie d'attraper
deux papillons à la fois,
tous les deux lui échapperont.

226. Commencez toutes vos histoires par les mêmes mots : les vôtres. Exemple : “Il était une fois, il y a très longtemps, dans un pays très, très loin d’ici...”.

227. Montrez-lui pourquoi c’est tellement plus rigolo de participer que de regarder.

228. Après l’école, accordez-lui toujours une coupure avant les devoirs à la maison. Au moins 20 minutes. Pour jouer.

229. Ajoutez une pincée de poudre magique sur son dessert préféré. Le sucre glace fait souvent l’affaire.

230. Soyez le parent que vous auriez rêvé avoir.

231. Encouragez-le à réessayer. Encore. Encore. Encore. Encore. Encore. Encore. Et encore, s'il le faut. Jusqu'au succès.

232. Aidez-le à ne pas oublier ni la fête des mères, ni la fête des pères.

233. Il a en vous une confiance inouïe. Ne le décevez pas.

234. Cherchez ensemble pourquoi les marmottes hibernent.

235✓ D'ici la fin du mois, organisez pour lui une soirée "spéciale" : jeux vidéo, dessin, déguisements ou gâteaux.

236✓ Laissez-le acquérir son style, cultiver ses goûts personnels, affirmer ses envies.

237✓ Quand il abuse, dites "temps mort !" et mettez-le à l'écart, dans sa chambre ou immobile sur sa chaise. Une minute par année d'âge.

238✓ Racontez-lui des anecdotes vécues de personnes ayant réussi à triompher du destin.

239✓ Faites-le monter à califourchon sur votre dos et galopez comme un cheval sauvage.

240✓ Ne vous sentez pas rejeté quand il veut être seul : réjouissez-vous qu'il sache se sentir en bonne compagnie quand il est seul.

241✓ Transformez chacune de ses peurs en une aventure à découvrir.

242✓ Lisez les modes d'emploi et respectez les consignes de sécurité. Plus tard, il fera comme vous.

243✓ Apprenez-lui à faire la paix.

244✓ Félicitez-le pour un effort ou un bel essai, même raté. Et pas seulement pour ses succès.

245✓ Ne dites pas "je t'ai déjà dit" ou "je t'avais bien dit". Il le sait déjà.

246✓ Aidez-le à obtenir un autographe de la personne qu'il admire le plus au monde.

247✓ Emmenez-le au cirque.

248✓ Fréquentez des parents heureux, optimistes et chanceux. C'est contagieux.

249✓ Offrez-lui des occasions de décider, choisir, s'engager, trancher. Aussi souvent que possible.

250✓ Avant de répondre à une question embarrassante, faites le point de ce qu'il sait puis aidez-le par la logique à parvenir seulement à l'étape suivante.

251✓ N'attendez pas de lui qu'il réalise vos rêves à votre place. Même vos rêves pour lui.

252✓ Soyez présent aux événements scolaires, sportifs ou culturels dans lesquels il s'est engagé.

253. Demandez-lui plus souvent “pourquoi ?”. Magique.

254. Trouvez 3 idées pour qu’il participe à des tâches utiles pour la famille.

255. Avant de juger, essayez d’abord d’entendre et voir les choses à sa façon : plongez quelques années en arrière et quelques décimètres en-dessous.

256. Ne remplissez pas chaque minute de sa journée.

257. Emmenez-le dans une caserne de pompiers.

258. Laissez-le vous montrer ce qu'il vient d'apprendre, comprendre, construire ou créer.

259. Évitez de lui dire "et s'il t'arrive quelque chose?" quand vous destinez en fait ce message à vous-même. Prévoyez puis taisez-vous.

260. Apprenez-lui à remercier et sourire aux gens qui lui rendent service. Même si c'est leur travail.

261. Donnez-lui l'habitude de recycler et de chercher sans cesse des idées pour réutiliser.

262✓ Parlez-lui chaque soir de votre journée.

263✓ Décodez : si un de ses sentiments vous heurte ou contrarie, c'est sans doute parce qu'il reflète au fond de vous, comme un miroir, ce que vous ne voulez pas voir.

264✓ Dites plus souvent "ma vie est tellement plus belle parce que tu es là".

265✓ Donnez-lui toujours une seconde chance. Toujours.

266✓ Préparez-lui un jus frais de légumes ou de fruits pressés.

267. Montrez-lui comme tout semble différent quand on refait le chemin en arrière. Apprenez-lui à deviner le dessous et le sens caché des choses.

268. Surveillez votre langage.

269. N'essayez jamais d'être un parent parfait. Jamais.

270. Dites-lui pourquoi vous respectez la loi, même quand le gendarme n'est pas là.

271. Concentrez-vous sur tout ce qui va bien. Pas le contraire.

272. Conservez précieusement sa première paire de chaussures.

273. Dites plus souvent : “ce n’est pas grave, je sais que tu as fait de ton mieux”.

274. Ne vous moquez pas de lui quand il a besoin de poser des questions.

275. Expliquez-lui pourquoi le mieux est l’ennemi du bien.

276. Écrivez-lui les mots qui sauvent : votre adresse, votre numéro de téléphone et celui des pompiers.

277✓ Pour lui, apprenez à faire 5 pas sur les mains.

278✓ Laissez-le s'ennuyer : résistez à la tentation de lui proposer une idée, une activité. Laissez sa créativité s'exercer : il trouvera tout seul.

279✓ N'essayez pas de paraître infaillible à ses yeux.

280✓ Lâchez prise : le seul pouvoir qu'il peut avoir sur vous est celui que vous lui laissez.

281✓ Emmenez-le au dernier étage de la tour Eiffel.

282. Montrez-lui souvent que vous êtes fier de ses efforts et de ses progrès.

283. Ne dites jamais "jamais".
Et surtout pas "mon enfant ne l'aurait jamais fait".

284. Protégez vos espaces de liberté et d'intimité.
Les siens comme les vôtres. Tous deux serez ensuite tellement plus sereins et disponibles.

285. Par-ci, par-là, laissez-le se mouiller, se salir, jouer sous la pluie ou les pieds dans la boue.

286✓ Si vous voulez qu'il vous écoute, parlez plus bas. Et si c'est très important, chuchotez.

287✓ Expliquez-lui pourquoi il faut attendre et bien regarder des 2 côtés, avant de traverser.

288✓ Ne le comparez jamais à un autre.

289✓ Sachez où se trouve la pharmacie ouverte la plus proche.

290✓ Encouragez-le à souvent se répéter les mots magiques : "je peux le faire".

291✓ Conseillez-lui de fragmenter ses gros travaux et problèmes en petits morceaux. Faciles à exécuter et résoudre, un par un, l'un après l'autre.

292✓ N'attendez pas une mauvaise nouvelle pour profiter des bonnes. Appréciez chaque instant comme un présent : demain, il sera peut-être trop tard.

293✓ Éveillez en lui les bonnes questions. C'est 1000 fois plus important que de lui donner les bonnes réponses.

294✓ Faites-lui découvrir la douceur de tenir un chaton dans ses bras. Et le plaisir de le sentir ronronner.

295✓ Trouvez le moyen de filmer ses “premiers jours” : de crèche, de neige ou de pêche.

296✓ N’hésitez pas à exprimer vos émotions et sentiments douloureux en sa présence. Plus tard, il fera pareil : les exprimer et donc les évacuer plus facilement.

297✓ Présentez-le à chaque personne que vous rencontrez. Quoi qu’il dise, cette marque de respect le touchera.

298✓ Soyez là quand il a besoin de vous.
Disparaissez quand il n’a plus besoin de vous.

299✓ Proposez-lui d'inviter ses 3 meilleurs amis à votre prochain événement familial.

300✓ Montrez-lui comment une erreur peut toujours être réparée ou pardonnée. Qu'il en soit auteur ou victime.

301✓ Ne fouillez pas dans ses affaires.

302✓ Expliquez-lui : la vie a ses hauts et ses bas, et être triste est aussi normal qu'être joyeux.

303✓ Aidez-le à construire son arbre généalogique.

304✓ Donnez-lui des limites. À l'extérieur il geindra, mais à l'intérieur il se sentira rassuré, soutenu, soulagé. Sa liberté encadrée d'aujourd'hui sera son pouvoir et sa fierté de demain.

305✓ Ne dites jamais le secret de "la Petite Souris". Laissez un autre le révéler.

306✓ Aidez-le à trouver plus d'opportunités d'accomplir de belles actions.

307✓ Efforcez-vous d'être le plus juste possible avec lui. Au moindre doute, discutez-en ensemble.

308. Trouvez 3 idées pour le traiter exactement
comme vous auriez adoré être traité à son âge.

309. Ne surréagissez pas au moindre bobo ou retard.
Trop contagieux.

310. Faites attention à ce que vous lui enseignez : c'est souvent
une leçon que vous devriez réapprendre vous-même.

311. Démarrez un album photo familial qui ne finira jamais.
Notez les dates et lieux précis, avant de les oublier.
Et veillez à ce que chacun soit équitablement représenté.

312✓ Trouvez 3 raisons de faire un compliment à ses 3 meilleurs amis.

313✓ Donnez-lui la chance de pouvoir prendre des risques sans penser que vous l'aimerez moins en cas d'échec : montrez que votre amour et votre estime pour lui ne dépendent pas de ses performances.
Et remontrez-lui. Encore. Encore.

314✓ Ne cherchez pas à avoir toujours le dernier mot.

315✓ Faites-lui un super festival de galipettes, grimaces et autres pirouettes.

316✓ Soignez et protégez vos traditions familiales.
Inventez-en de nouvelles.
Ces points d'ancrage vivants lui offriront à jamais sécurité, confiance en lui, assurance et sérénité.

317✓ Mettez-le à la place de ceux qui ont souffert de sa conduite.
Idéal pour lui expliquer les droits et besoins d'autrui.

318✓ Écoutez-le attentivement vous raconter ses cauchemars.

319✓ Trouvez 3 idées par jour pour qu'il mette sa jugeote à l'épreuve, bâtisse des hypothèses, affine son intuition.

320✓ Montrez-lui qu'il n'y a pas de fantôme. Ni dans le placard, ni sous le lit, ni derrière la porte.

321✓ Expliquez-lui pourquoi se fixer des buts, c'est repousser ses propres frontières, lever les barrières, et s'ouvrir la Terre entière.

322✓ Aiguisez son plaisir et son désir d'apprendre. Ne soyez pas le répétiteur de l'école.

323✓ Saisissez votre chance chaque fois qu'il décide de faire quelque chose avec vous. C'est trop bon.

324✓Aidez-le à démarrer “sa” collection. Photos, clowns, livres, feuilles d’arbre ou fossiles.

325✓Ne le prenez pas par les sentiments.

326✓Trouvez 3 idées pour transformer sa participation aux tâches ménagères en jeux ou “petites missions”.

327✓Veillez à ne pas lui transmettre votre peur. Du vide, des serpents, du noir, de l’avenir.

328✓Jouez à lire sur les lèvres l’un de l’autre.

329✓ Mettez-le dans l'eau dès qu'il est d'accord.
Plus tard, il pourrait changer d'avis.

330✓ Compatissez à ses peines, soucis et tourments.

331✓ Ne ratez pas une occasion de lui inculquer "les bonnes manières" et les règles du savoir-vivre.

332✓ Expliquez-lui pourquoi demain est un autre jour.
Et comment il peut en profiter.

333✓ Racontez-lui des anecdotes quand vous aviez son âge.

334✓ Expliquez-lui pourquoi il faut saisir sa chance dès qu'elle se présente. Elle est si capricieuse qu'il faut parfois ensuite une éternité pour qu'elle se présente à nouveau.

335✓ Ne laissez pas passer une occasion de jouer avec lui.

336✓ Incitez-le à en chercher plus, découvrir plus, savoir plus, par ses propres moyens.

337✓ Faites-le manger plus souvent à la table "des grands".

338✓ Trouvez 3 idées pour travailler ensemble autour d'un même projet.

339. Partez du principe qu'il a toujours de bonnes intentions et fait toujours de son mieux. Ni l'un ni l'autre ne serez déçu.

340. Trouvez 3 idées pour le faire pénétrer dans l'univers de personnages historiques.

341. Sachez où se trouvent les disjoncteur, lampe électrique, arrivée d'eau et extincteur les plus proches.

342. Évitez de susciter chez lui des sentiments de culpabilité.

343. Soyez le premier à lui apprendre à faire du vélo.

344. Marchez ensemble sur la plage et cherchez de beaux coquillages.

345✓ Simplifiez sa vie : achetez-lui moins de jouets. Mais de meilleure qualité et débordants de créativité.

346✓ Conseillez-lui de bien retenir les leçons mais de vite oublier les erreurs passées.
Le passé est dépassé.

347✓ Demandez-lui de laisser ses chaussures à l'entrée.
Le gain en confort et propreté est souvent surprenant.

348✓ Apprenez-lui les bases du code de la route. Mettez-les en pratique ensemble.

349✓ Au petit déjeuner, faites-lui goûter une cuiller de miel mélangée à des flocons d'avoine et du lait très chaud.

350✓ Ne soyez pas embarrassé de lui dire "je t'aime". L'entendre, c'est son droit le plus strict.

351✓ Si vous ne tenez pas à le voir un jour les imiter, tenez-le à l'écart des programmes contenant certains mots, scènes ou activités.

352✓ Demandez-lui le nombre d'objets rouges dans la pièce d'à côté. Trouvez 3 autres idées pour mettre à l'épreuve attention et concentration.

353. Donnez l'exemple : ramassez papiers, détritus et déchets, et portez-les à la poubelle. Faites-en un jeu entre vous.

354. En matière de confiance, faites-lui crédit.
Vous l'aiderez beaucoup à mériter bientôt toute la vôtre.

355. Enfermez sous bonne clef vos produits dangereux, médicaments et objets de valeur.

356. Évitez de lui dire “tout va bien” quand ce n'est pas le cas.

357. Amusez-vous à marcher avec des échasses.

358✓ Si c'est cassé, profitez-en pour le démonter.
Regardez ensemble comment c'est fait à l'intérieur.

359✓ Répétez-lui : l'échec concerne un événement.
Pas la personne.

360✓ Ne ratez pas une occasion de lui faire goûter l'opéra et
la musique classique.

361✓ Faites régulièrement un moulage de ses mains,
dans de l'argile durcissant à l'air, "sans cuisson".
Offrez un exemplaire aux grands-parents : cadeau émouvant.

362✓ Vous n'apprendrez rien à vous écouter vous-même parler. Réapprenez à l'écouter. Attentivement.

363✓ Dans le doute, faites confiance à votre intuition.

364✓ N'essayez pas de lire dans ses pensées. Posez-lui des questions pour l'aider à les éclaircir.

365✓ Donnez-lui l'habitude de s'excuser et demander pardon.

366✓ Visitez avec lui une fromagerie, une boulangerie, l'atelier d'un ébéniste ou d'un luthier.

367. Dessinez deux yeux et une bouche sur le bout de vos doigts. Faites-lui un spectacle de marionnettes.

368. Ne cherchez pas à lui faire manger tout ce qu'il y a dans son assiette.

369. Accordez-lui suffisamment de confiance et de liberté. Pour croire en lui, sans croître en lui.

370. Encouragez-le sans cesse à goûter, essayer, tester.
À explorer de nouveaux territoires, disciplines, aptitudes.
À élargir ses compétences, enrichir sa palette.
Sans le pousser, ni aller trop vite : à son rythme.

371. Quand vous vous promenez ensemble, demandez-lui de choisir la direction.

372. Montrez-lui ce qu'il perdrait s'il était un jour tenté de mentir ou tricher.

373. Répétez-lui de ne jamais ramasser un objet insolite ou inconnu trouvé dans la rue.

374. Inventez des rituels de bonheur. Exemple : racontez-lui une histoire chaque soir avant de le coucher. "SON" histoire.

375✓ Soyez courageux pour lui avouer quand vous avez peur.

376✓ Expliquez-lui pourquoi, là où il a décidé de se rendre, est 1000 fois plus important que l'endroit où il est déjà.

377✓ Jouez ensemble à inventer des jeux de mots et former des chaînes de mots.

378✓ Montrez-lui que les méchants finissent toujours punis. Même si les gentils ne sont pas toujours récompensés.

379✓ Demandez-lui plus souvent son opinion.

380. Dites-lui plus souvent "on efface tout et on recommence".

381. Par-ci, par-là, laissez-le organiser votre temps : pendant une heure ou une journée, suivez-le. Partout. Étonnant.

382. N'essayez pas de le changer. Mais vous pouvez toujours essayer de changer votre attitude par rapport à lui.

383. Au moins une fois par semaine, faites ensemble les devoirs de l'école.

384. Si vous partez avant son réveil, laissez un petit mot "câlin" près de son oreiller. Idéal pour bien démarrer la journée.

385✓ Accroupi, imitez pour lui l'otarie, marchez en canard, sautez en grenouille.

386✓ Cachez les jouets dont il s'est lassé et ressortez-les 6 mois plus tard.

387✓ Ne ratez pas une occasion de pouvoir le féliciter en public.

388✓ Expliquez-lui qu'il pourra décider seul de faire ce qu'il veut, être qui il veut, quand il sera "grand". Mais pas avant.

389✓ Ayez un plan de secours et 2 activités pour les jours de pluie inopinée.

390. Laissez ses secrets secrets.

391. Prévenez-le de ce qu'il doit faire s'il se perdait dans la rue.

392. Montrez du respect à son "doudou".

393. Encouragez-le à poser des questions sans hésiter, tant qu'il n'a pas compris.

394. Jouez ensemble à imiter chaque geste de l'autre, comme si vous étiez un miroir.

395✓ Soyez passionné. C'est si contagieux.

396✓ Apprenez-lui à lire un plan de montage.

397✓ Ne lui collez pas d'étiquettes : il pourrait être tenté de les garder.

398✓ Soyez compréhensif, patient et magnanime. Surtout quand il semble tout faire pour vous en dissuader.

399✓ À la première occasion, construisez ensemble des routes, des ponts, une ville. Dans le sable.

400✓ Soyez le premier à lui apprendre les 4 points cardinaux.

401✓ Donnez-lui l'envie de progresser.
Pas de rechercher la perfection.

402✓ Demandez-vous comment vous agiriez s'il était l'enfant d'un de vos amis.

403✓ Quand les choses vont mal, expliquez-lui ce que veut dire "la roue tourne".

404✓ Achetez-lui plus de livres et de bandes dessinées.

405✓ Trouvez 3 idées par jour pour éveiller sa curiosité et la frotter à la réalité, en commençant par "savais-tu que...".

406✓ Ne refusez pas son "coup de main". Tant pis si cela complique et bouscule un peu vos projets.
C'est trop bon.

407✓ Aidez-le à découvrir des sports tels que arts martiaux, cyclisme, natation. Ils favorisent la maîtrise de soi, le goût de l'effort et le bien-être.

408✓ Observez ensemble au microscope : un fruit, un brin d'herbe, une fleur.

409✓ Citez-lui le nom des fleurs et arbres que vous connaissez.

410✓ Responsabilisez-le : dites “tu risques de te faire mal” plutôt que “tu vas te faire mal”.

411✓ Confiez-lui les numéros de téléphone de 3 personnes de confiance : pour le cas où il ne pourrait pas vous joindre rapidement.

412✓ Quand les parents sont plus calmes et sereins, les enfants deviennent plus calmes et sereins. Profitez-en.

413✓ Aimez-le sans réserve. Et sans attendre en retour.

414. Offrez-lui le plus beau de tous les cadeaux à ses yeux : votre temps.

415. Expliquez-lui pourquoi il ne doit pas hésiter à faire tout ce qui lui semble bien sans jamais se soucier de ce que diront les autres.

416. Montrez-lui souvent que le but des règles est d'enseigner, donner du sens, faire mûrir. Pas de punir.

417. Dites-le. L'important n'est pas seulement ce que vous dites, mais comment vous le dites.

418. Glissez une surprise pour le goûter dans son cartable.

419. Expliquez-lui pourquoi, s'il perd une de ses affaires, c'est "sa" responsabilité de la retrouver. Pas la vôtre.

420. Lisez-lui à voix haute les livres que vous lisez.

421. Si vous ne savez pas, dites-lui.

422. Faites-lui une tête de lapin, un chien, une autruche en ombres chinoises. Magique.

423✓ Expliquez-lui pourquoi c'est si important de rester groupé et ne pas s'éloigner quand vous vous déplacez à plusieurs.

424✓ Le sens de l'humour est comme un muscle : plus on l'utilise, plus il devient fort. Musclez le vôtre.
L'humour sera toujours votre premier secours.

425✓ Dites-lui pourquoi les erreurs et les échecs sont en réalité des leçons déguisées qui l'attendaient.
Pour le conduire droit vers le succès.

426✓ Faites-lui découvrir kaléidoscope, hologrammes et illusions d'optique.

427✓Assurez-lui qu'il est bon de rêver et de prendre parfois ses rêves pour des réalités. Pour mieux les réaliser.

428✓Faites des exercices à la maison pour qu'il sache ce qu'il doit faire en cas d'incendie, danger ou accident.

429✓Montrez-lui pourquoi il ne faut jamais baisser les bras tant que la partie n'est pas totalement terminée.

430✓Ne transformez pas votre télévision en baby-sitter.

431✓Regardez ensemble le feu d'artifice et le défilé du 14 Juillet.

432✓ Offrez-lui une baguette magique.

433✓ Décompressez, déculpabilisez, dédramatisez :
les bons parents se demandent souvent s'ils ont bien agi, comment ils auraient dû faire.
Les autres ne se posent pas la question.

434✓ Prenez-le au sérieux.
Mais ne vous prenez pas au sérieux avec lui.

435✓ Espérez de lui plus qu'il n'espère en lui-même.

436✓ Soyez simple.

Chaque enfant est une promesse et un miracle.

De Bonheur et d'Amour.

Et qu'il soit né ici ou à un autre bout de la planète, les yeux bridés ou la peau mate, chaque enfant est un peu le nôtre. Placé sous notre responsabilité parce qu'il est à la fois une partie du Monde, une partie de nous-mêmes, le fruit de notre Histoire et le creuset de nos espoirs. Et nos espoirs sont grands. Pour chaque enfant.

Des espoirs de géants pour des épaules apparemment bien fragiles.

Fragiles ? Pourtant les enfants ont mille pouvoirs que nous avons oubliés : eux seuls, sont capables de toucher les étoiles, de retrouver le Petit Poucet et de tutoyer Dieu. Et pour eux, une vie est pleine de "je", pleine de vies. À bien y regarder, il y a même dans l'éclat de rire d'un enfant comme un fragment d'éternité, une brèche ouverte dans la réalité, un "*trou blanc*" où le temps s'arrête, où l'énergie envahit l'espace.

Comme s'il fallait nécessairement être un enfant, avec une bonne dose d'innocence et d'insouciance, pour pouvoir s'approcher de l'indicible, de l'invisible à l'œil nu, du "*tout est possible*".

Rêvons un instant avec eux.

Commençons par nous accroupir. Pour être juste à la hauteur de leurs yeux. Retrouvons l'enfant que nous avons toujours été au fond de nous, prenons le temps de l'écouter comme jamais nous n'avions osé le faire auparavant et détournons l'adage : "*si jeunesse pouvait, si vieillesse savait*". Ne serait-ce qu'un instant, le temps d'apercevoir le cap à prendre, la nouvelle route à suivre.

Le temps, sans doute, d'être illuminé par l'évidence et la simplicité de la décision qui s'impose : inaugurer des voies et des idées à la fois inattendues, joyeuses, audacieuses, pour embellir, émerveiller, réenchanter notre vie. Et avoir enfin le courage d'utiliser des clés pourtant à notre disposition depuis l'enfance du Monde.

Finalement, la solution est peut-être toujours un jeu d'enfant.

Et là où beaucoup voient une société où régne déjà une infantilisation générale, il se pourrait que l'imagination ne soit pas là où on l'attendait : redonnons le pouvoir à l'Enfance, aux enfants, et tout d'abord à celui qui sommeille en chacun de nous.

Post-Scriptum

Fuyons le prêt-à-penser, conçu pour tous et adapté à personne. Réapprenons à faire le silence en nous, à écouter notre conscience chuchoter, à écouter notre cœur. Retrouvons notre sagesse profonde, la sagesse de l'Enfance. Pour nous. Pour nos enfants. Pour nous tous. Pour éviter le chaos technique, panser les plaies du Monde, réinventer demain en plus rose, et vite refermer, à double tour, la boîte de Pandore.

Ce n'est qu'un rêve ? Mais le rêver, c'est déjà s'en approcher... Et nous sommes de plus en plus nombreux à faire le même rêve. Ici, comme à l'autre bout de la planète...

Que les vents vous soient favorables et vous emmènent jusqu'au bout de vos rêves.
Et surtout, vivez bien...

Dominique Glocheux

*Le flashage de cet ouvrage
a été réalisé par l'***Imprimerie Bussière**
*l'impression et le brochage ont été effectués
sur presse Cameron dans les ateliers
de* **Bussière Camedan Imprimeries**
*à Saint-Amand-Montrond (Cher),
pour le compte des Éditions Albin Michel.*

*Achevé d'imprimer en juin 2001.
N° d'édition : 20033. N° d'impression : 013020/4.
Dépôt légal : juin 2001.*